O POVO ISRAELITA, AO QUAL DAVI PERTENCIA, ESTAVA EM BATALHA CONTRA O POVO FILISTEU, MAS O JOVEM NÃO HAVIA SIDO CONVOCADO PARA LUTAR. UM DIA, JESSÉ PEDIU A DAVI QUE LEVASSE ALIMENTO AOS OUTROS FILHOS, QUE ESTAVAM LUTANDO NESSA BATALHA.

NO EXÉRCITO INIMIGO, HAVIA UM GIGANTE CHAMADO GOLIAS, QUE ERA MUITO FORTE. NINGUÉM TINHA CORAGEM DE ENFRENTÁ-LO, POIS TODOS OS QUE TENTARAM FORAM DERROTADOS.

MESMO SENDO UM PASTOR, E NÃO UM SOLDADO, DAVI PEDIU PERMISSÃO AO SEU REI PARA ENFRENTAR O GIGANTE. O REI, A PRINCÍPIO, NÃO ACHOU BOA IDEIA, PORQUE DAVI, ALÉM DE MUITO JOVEM, NUNCA HAVIA LUTADO EM BATALHAS.

O RAPAZ, ENTÃO, CONTOU AO REI QUE, PARA DEFENDER AS OVELHAS DO PAI, JÁ HAVIA ENFRENTADO E DERROTADO LEÕES E URSOS. LOGO, LUTAR CONTRA O GIGANTE FILISTEU SERIA COMO ENFRENTAR UM DESSES ANIMAIS, E DEUS O AJUDARIA.

O REI PERMITIU E VESTIU DAVI COM UMA PESADA ARMADURA E UM CAPACETE, E DEU A ELE UMA ESPADA. PORÉM, O JOVEM ERA PEQUENO E MAL CONSEGUIA ANDAR USANDO AQUELAS VESTES.

DAVI TIROU TODOS OS ACESSÓRIOS, PEGOU SEU CAJADO E FOI ATÉ UM RIACHO. LÁ, ELE RECOLHEU CINCO PEDRAS, COLOCOU-AS EM SUA BOLSA E SEGUIU PARA ENFRENTAR GOLIAS.

A PEDRA ACERTOU EM CHEIO A TESTA DE GOLIAS, QUE CAIU FERIDO NO CHÃO. SEM O GIGANTE, OS SOLDADOS FILISTEUS RECUARAM, E O EXÉRCITO DE ISRAEL VENCEU A BATALHA.